さっそく読《よ》んでみよう!

おそろしい吸血鬼《きゅうけつき》の「吸血《きゅうけつ》プラン」とは!?

【新装版】水木しげるのおばけ学校⑤

吸血鬼チャランポラン

登場人物《とうじょうじんぶつ》

吸血鬼《きゅうけつき》
チャランポラン
ギターの音《おと》で
人《ひと》をしびれさせる
音楽《おんがく》さいみんじゅつを
つかう。
名士《めいし》と美女《びじょ》の
血《ち》がすき。

ねずみ男《おとこ》
いつも金持《かねも》ちに
なりそこなっている妖怪《ようかい》。

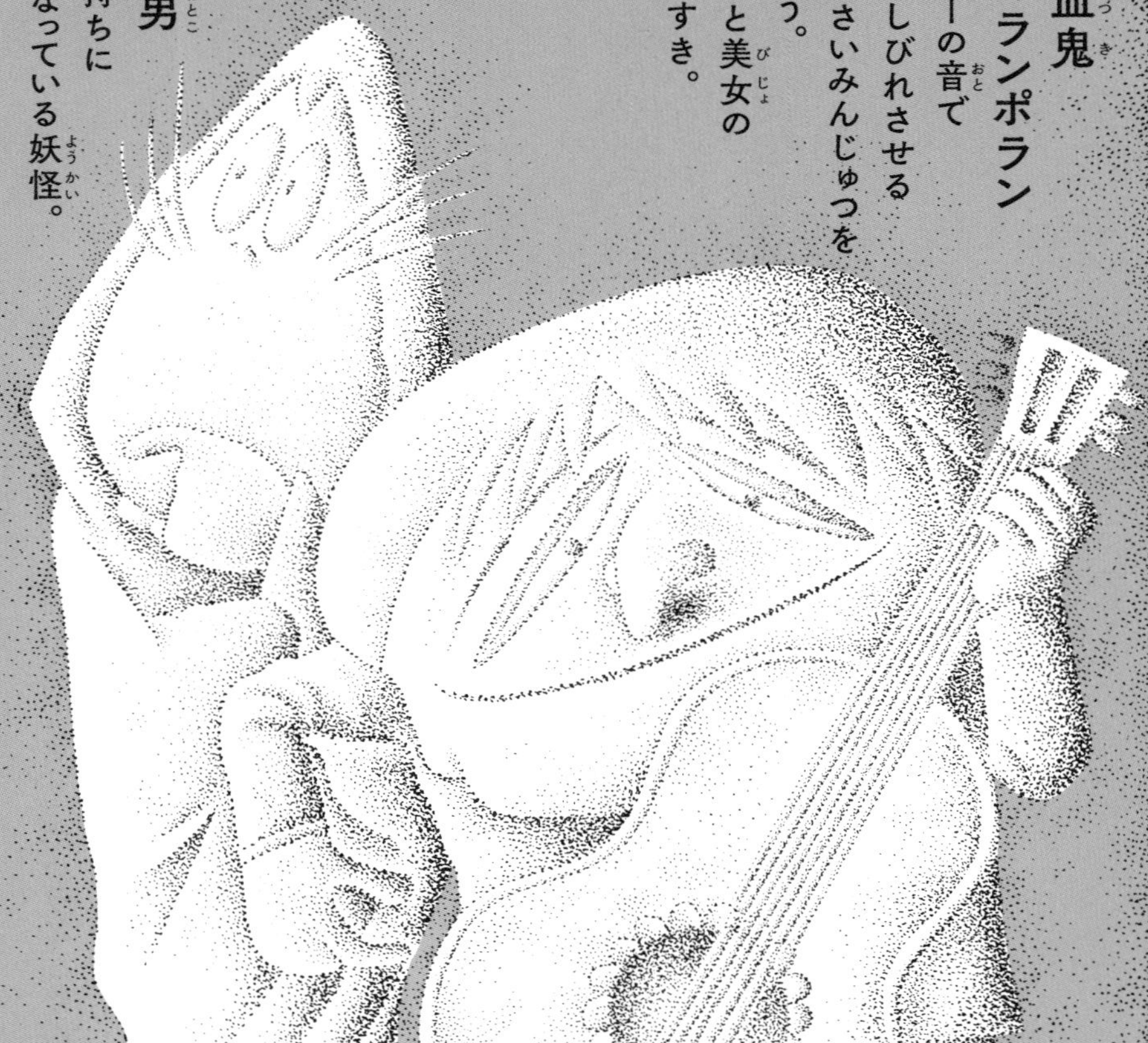

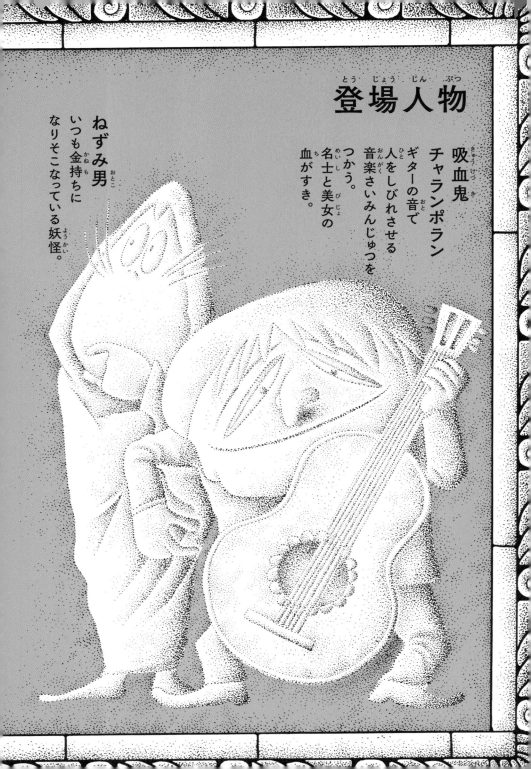

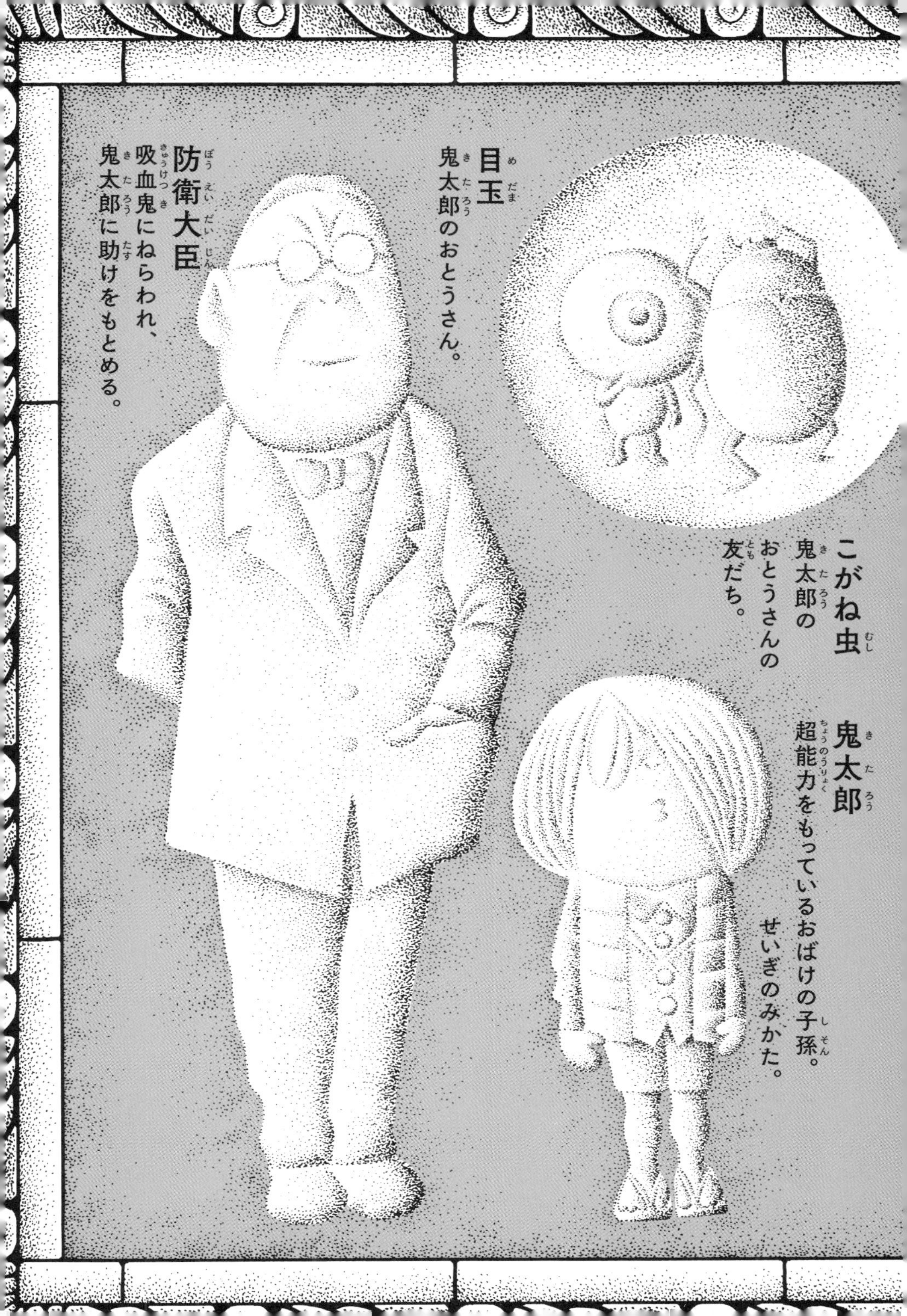
鬼太郎《きたろう》
超能力《ちょうのうりょく》をもっているおばけの子孫《しそん》。
せいぎのみかた。
こがね虫《むし》
鬼太郎《きたろう》の
おとうさんの
友《とも》だち。
目玉《めだま》
鬼太郎《きたろう》のおとうさん。
防衛大臣《ぼうえいだいじん》
吸血鬼《きゅうけつき》にねらわれ、
鬼太郎《きたろう》に助《たす》けをもとめる。

ねずみ男《おとこ》は、むかしから、
腹《はら》がへると、
気《き》の立《た》つせいかくだった。
この日《ひ》も、
空腹《くうふく》にたえかねて、

「腹《はら》がへるのは、おまえがはたらかないからだ。」と、いきなり鬼太郎《きたろう》をなぐりつけた。

どん

おこった鬼太郎《きたろう》は、ねずみ男《おとこ》をけとばし、まどから下《した》へおとしてしまった。

「このやろう！　よくも、おれさまを地《じ》べたへつきおとしたな！　このお礼《れい》は、ゆっくりさせてもらうぜ。」

すてぜりふをのこして、ねずみ男《おとこ》はどこへともなくさっていった。

ねずみ男《おとこ》のさった鬼太郎《きたろう》の家《いえ》へ、防衛大臣《ぼうえいだいじん》の秘書《ひしょ》という人《ひと》がやってきた。
「鬼太郎先生《きたろうせんせい》、大臣《だいじん》がぜひお会《あ》いしたいともうしております。」

鬼太郎《きたろう》は、なにごとかと、むかえの車《くるま》にのって、大臣《だいじん》に会《あ》いにいった。

あいさつもそこそこに、あおざめた大臣《だいじん》の口《くち》から出《で》たことばは、おそろしいものであった。

「鬼太郎《きたろう》くん、じつは吸血鬼《きゅうけつき》にねらわれとるんじゃよ。」
「えっ！ それはなんという名前《なまえ》の吸血鬼《きゅうけつき》です？」
「名前《なまえ》はわからんが、わしがおそわれたときは、
ギターをかなでながら来《き》よった。」
鬼太郎《きたろう》はおどろいた。ギターをひく吸血鬼《きゅうけつき》なんて、
いままで、きいたこともなかったからだ。
「でも大臣《だいじん》、よく血《ち》をすわれませんでしたね。」
「そのときは、刑事《けいじ》がふたりついとったからね。
しかし、あぶなかったんじゃ。警視庁《けいしちょう》でも全力《ぜんりょく》をあげて
しらべているが、なにしろ雲《くも》をつかむような話《はなし》で、
いまだに、なんの手《て》がかりもないんじゃ。」
大臣《だいじん》は、すっかりかたをおとしながら、しかし、
自分《じぶん》をはげますように言《い》った。

「わしは考《かんが》えた。あいては妖怪《ようかい》だ。妖怪《ようかい》をつかまえられるのは妖怪以外《ようかいいがい》にない。鬼太郎《きたろう》くん、吸血鬼《きゅうけつき》をたいじしてくれないか！」

「手強《てごわ》いあいてのようですが、ひきうけましょう。」

鬼太郎《きたろう》は、大臣《だいじん》の身《み》のまわりを見《み》はることから、はじめた。

いっぽう、ねずみ男《おとこ》は、しんぶんこうこくで、しゅうしょくさきをさがしていた。『もとむ秘書《ひしょ》。ただし妖怪語《ようかいご》の話《はな》せる方《かた》』

さっそく、指定《してい》の高級《こうきゅう》きっさてん〝水木《みずき》〟にいってみると、そこには、ひげをはやした青白《あおじろ》い男《おとこ》がいた。

男《おとこ》は、ねずみ男《おとこ》を
見《み》ると、ギターを
ならしはじめた。
ねずみ男《おとこ》は、その
ふしぎなメロディーに
つられ、思《おも》わず
おどりだしてしまった。
それは、いわば
さいようしけん
だったのだ。

青白《あおじろ》い男《おとこ》は、

「あなたとは、フィーリングがあうような気《き》がします。月給《げっきゅう》百万円《えん》で秘書《ひしょ》になってもらいましょう。」

と、言《い》って、ねずみ男《おとこ》を車《くるま》にのせた。

ふたりののった車《くるま》は、三、四時間《じかん》ののちには、年中《ねんじゅう》きりのはれたことのない山《やま》の中《なか》をはしっていた。

その山《やま》の中《なか》に、青白《あおじろ》い男《おとこ》のべっそうがあるのだった。

青白《あおじろ》い男《おとこ》が、車《くるま》からおりると、「キキキキ」と、するどいなき声《ごえ》をたてながら、何十匹《なんぴき》というこうもりがよってきた。

「これは、わたしの部下《ぶか》どもです。」

青白《あおじろ》い男《おとこ》は、こうもりの頭《あたま》をなぜながら言《い》った。

「部下《ぶか》ともうしますと……。」

「このべっそうのばんにんです。べっそうにちかづくものは、吸血《きゅうけつ》こうもりたちがかたづけてくれるのです。だから、このべっそうは、だれにも見《み》つかっていません。ははは……。」

べっそうに入《はい》ると、入口《いりぐち》のそばに大《おお》きなたるがおいてあった。青白《あおじろ》い男《おとこ》は、たるのコックをひねり、赤《あか》い水《みず》をコップにみたし、ねずみ男《おとこ》にさしだした。

「どうです。ヒヤでいっぱい。」

「これは、なんですか？」

「血《ち》です。こうもりどもが、よういしてくれるしんせんな血液《けつえき》です。」

「ねずみ男《おとこ》くん、おどろかんでもいい。きみは、ただ、わたしの吸血《きゅうけつ》プランの手《て》つだいをしてくれればいいんだよ。」

「吸血《きゅうけつ》プラン？」

チャランポランは、「吸血《きゅうけつ》プラン」とかいたノートをねずみ男《おとこ》にわたした。

そこには、日本《にほん》のゆうめいな人《ひと》の名前《なまえ》が、ずらりとならんでいた。

「名士《めいし》ばかりですな。」

「そうです。名士《めいし》の血《ち》でないと、しげきがありません。まず、防衛大臣《ぼうえいだいじん》の血《ち》から……。」

「でも大臣《だいじん》は、ゲゲゲの鬼太郎《きたろう》をボディガードにたのんだという話《はなし》ですよ。」

「なに、ゲゲゲのけたろう？
それ、なにか新製品《しんせいひん》の名前《なまえ》？」
「あなたが鬼太郎《きたろう》をごぞんじないとは……。
とても強《つよ》い子《こ》どもですよ。」
「ゲゲゲのけたろうが、そんなに強《つよ》い
なら、そいつからかたづけましょうや。」
「へえ、やるんですか……。」
ねずみ男《おとこ》は、吸血鬼《きゅうけつき》のだいたんさに
おどろいていた。
「わたしに、けたろうの性質《せいしつ》を
きかせてください。その性質《せいしつ》に
あわせて作曲《さっきょく》しますから。」
「へえ。」

「ギターの魔力《まりょく》で、ひきつけるのです。わたしは、音楽《おんがく》で人《ひと》をじゆうにする力《ちから》をもっているのです。」

「しかし、ふつうの人間《にんげん》はじゆうにできても、鬼太郎《きたろう》はじゆうにできないかもしれませんよ。」

「ははは、けたろうがそれでもだめなら、肉体《にくたい》をとかすちゅうしゃえきだってありますよ。それでコロリポンですよ。」

たいへんなじしんだ。

いっぽう、こちらは防衛大臣《ぼうえいだいじん》のやしき。
れんじつの夜《よ》まわりにつかれ、鬼太郎《きたろう》は
三日《か》ぶりにやすんでいた。
すると、どこからともなく、さそうような
ギターのねいろがきこえてきた。
その音《おと》は、大臣《だいじん》のやしきをひとまわりして、
鬼太郎《きたろう》のへやに、入《はい》ってきた。
と、とつぜん、鬼太郎《きたろう》がおきあがり、まるで
夢遊病《むゆうびょう》にかかったように、あるきだした。
ブンチャカ、ブンチャカ、ブンチャカ……。

吸血鬼《きゅうけつき》は、音楽《おんがく》の力《ちから》でのうを
しびれさせてしまう名人《めいじん》なのだ。
夢遊病者《むゆうびょうしゃ》のような鬼太郎《きたろう》は、
木《き》のかげにかくれていたねずみ男《おとこ》に、
一ぱつなぐられ、コロリとまいって
しまった。
「鬼太郎《きたろう》、おまえの血《ち》は、いま
チャランポラン先生《せんせい》にすわれようと
している。それがいやなら、先生《せんせい》の
部下《ぶか》になれ！」
ねずみ男《おとこ》はうらぎり上手《じょうず》。
ながねんの友人《ゆうじん》鬼太郎《きたろう》を
しばりあげながら、

さいごのちゅうこくをした。
鬼太郎《きたろう》は音楽《おんがく》で、のうがしびれて、
うごけなかった。
それでも、力《ちから》を
ふりしぼって、
「ことわる！」
と、言《い》った。
それをきいた
チャランポランは、
まってましたとばかり、
したなめずりしながら、
鬼太郎《きたろう》ののどに、
口《くち》をよせてきた。

いまにも、鬼太郎《きたろう》ののどに歯《は》をつきたてようとしたとき、鬼太郎《きたろう》の左目《ひだりめ》から、目玉《めだま》のおとうさんが、とびでてきた。

「まてーっ。」

いきなり目玉《めだま》が出《で》てきて、おどろいたチャランポランは、目玉《めだま》のおとうさんをつかむと、大地《だいち》にたたきつけ、くつでふみつけた。これには、いかにふじみの目玉《めだま》といえども、紙《かみ》のようにペチャンコになってしまった。

吸血鬼《きゅうけつき》は、
鬼太郎《きたろう》を頭《あたま》から
ガブリとかじろうと
したが、鬼太郎《きたろう》の頭《あたま》は
石《いし》のようにかたく、
歯《は》が立《た》たない。
そこで、ひとまず、
車《くるま》につんでべっそうに
ひきあげることにした。
目玉《めだま》のおとうさんは、
しりあいのこがね虫《むし》に
相談《そうだん》して、鬼太郎《きたろう》を
さがしにいくことにした。

　世界《せかい》でもあまり例《れい》のない「音楽《おんがく》ますい」にかけられた鬼太郎《きたろう》は、吸血鬼《きゅうけつき》のべっそうのてんじょううらにしばられていた。

　チャランポランは肉体《にくたい》をとかす液体《えきたい》をちゅうしゃきの中《なか》に入《い》れはじめていた。

「先生《せんせい》、いよいよ鬼太郎《きたろう》をやるんですか。」

「やる。むかしから、じゃまものは消《け》せと言《い》うじゃないの。」

「しかし、鬼太郎《きたろう》をとかしてしまってはもったいないじゃ

ありませんか。あいつをみかたにすれば、
むかうところ敵《てき》なしですぜ。」
ねずみ男《おとこ》は、きゅうに鬼太郎《きたろう》がかわいそうに
なってきたのだ。
「きみは鬼太郎《きたろう》をみかたにするじしんでも
あるのかね。」
「そいつぁ、わかりませんが、もう
そろそろ音楽《おんがく》ますいもきれたころ
ですので、もういちど、
せっとくして
みましょう。」
ねずみ男《おとこ》は、てんじょう
うらにのぼっていった。

鬼太郎《きたろう》は、まだねむりこけていた。
その頭《あたま》に、ねずみ男《おとこ》のはげしいビンタがとんだ。
ビビビビーン。
やっと、われにかえった鬼太郎《きたろう》。
「鬼太郎《きたろう》、おまえ吸血鬼《きゅうけつき》にとかされるぞ。」
「なんだ。だれかと思《おも》えば、ねずみ男《おとこ》じゃないか。だれがとかされるって？

ふざけるな。顔《かお》でもあらってこい！」

鬼太郎《きたろう》は、ねずみ男《おとこ》のおどしなど、鼻《はな》にもかけなかった。

ねずみ男《おとこ》は、腹《はら》が立《た》って、またなぐりつけた。ビビビビーン。

「やたらに、なぐるな！」

「鬼太郎《きたろう》、おまえ、ここがどこだかしっているのか。この下《した》には、おそろしい吸血鬼《きゅうけつき》が、体《からだ》をとかすくすりをよういして、まっているんだぜ。」

「そいつぁ、たいへんだ。大臣《だいじん》は
どうなったんだ？」
「バカヤロー。大臣《だいじん》どころではない。
おまえがあぶないのだ！」
ビビビビーン。しばられているのを
いいことに、ねずみ男《おとこ》はまた
鬼太郎《きたろう》をなぐった。
「鬼太郎《きたろう》。吸血鬼《きゅうけつき》はおまえがみかたになれば
助《たす》けてやってもいいと言《い》っているんだ。」
「ことわる！」
ほこりたかい鬼太郎《きたろう》は、そくざに
ことわった。
「こいつ、おれの友情《ゆうじょう》がわからないらしいな。」

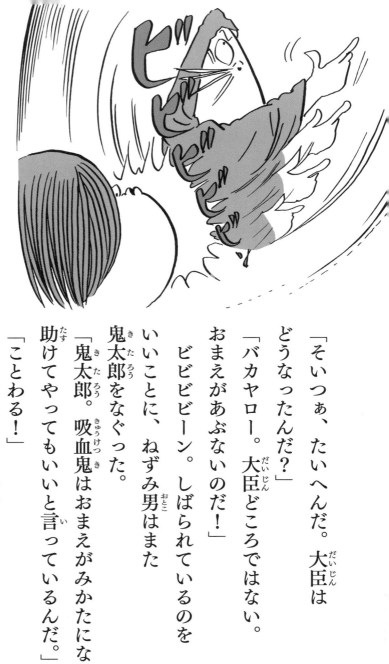

あいてはおまえなんかの手《て》におえない大物《おおもの》なんだぜ。いまからでもおそくはない。心《こころ》をあらためて、吸血鬼《きゅうけつき》さまのみかたになれ。」

「ばかっ。たとえとかされても、大臣《だいじん》とやくそくしたことはまもらねばならんのだ。」

ふたりが言《い》いあっているうちに、夜《よる》もしらじらとあけてきた。

まちくたびれた吸血鬼《きゅうけつき》は、

「だめなら、おりてこい。」

と、さけんでいる。

さすがの
ねずみ男《おとこ》も、鬼太郎《きたろう》の
がんこさに手《て》をやいて、
見《み》すてることにした。
ところが、にくまれ口《ぐち》をたたいた
ひょうしに、かいだんをふみはずしてしまった。
「どうしたんだ、ねずみ男《おとこ》くん。かいだんを
さかさまにおりてくるじゃねえか。」

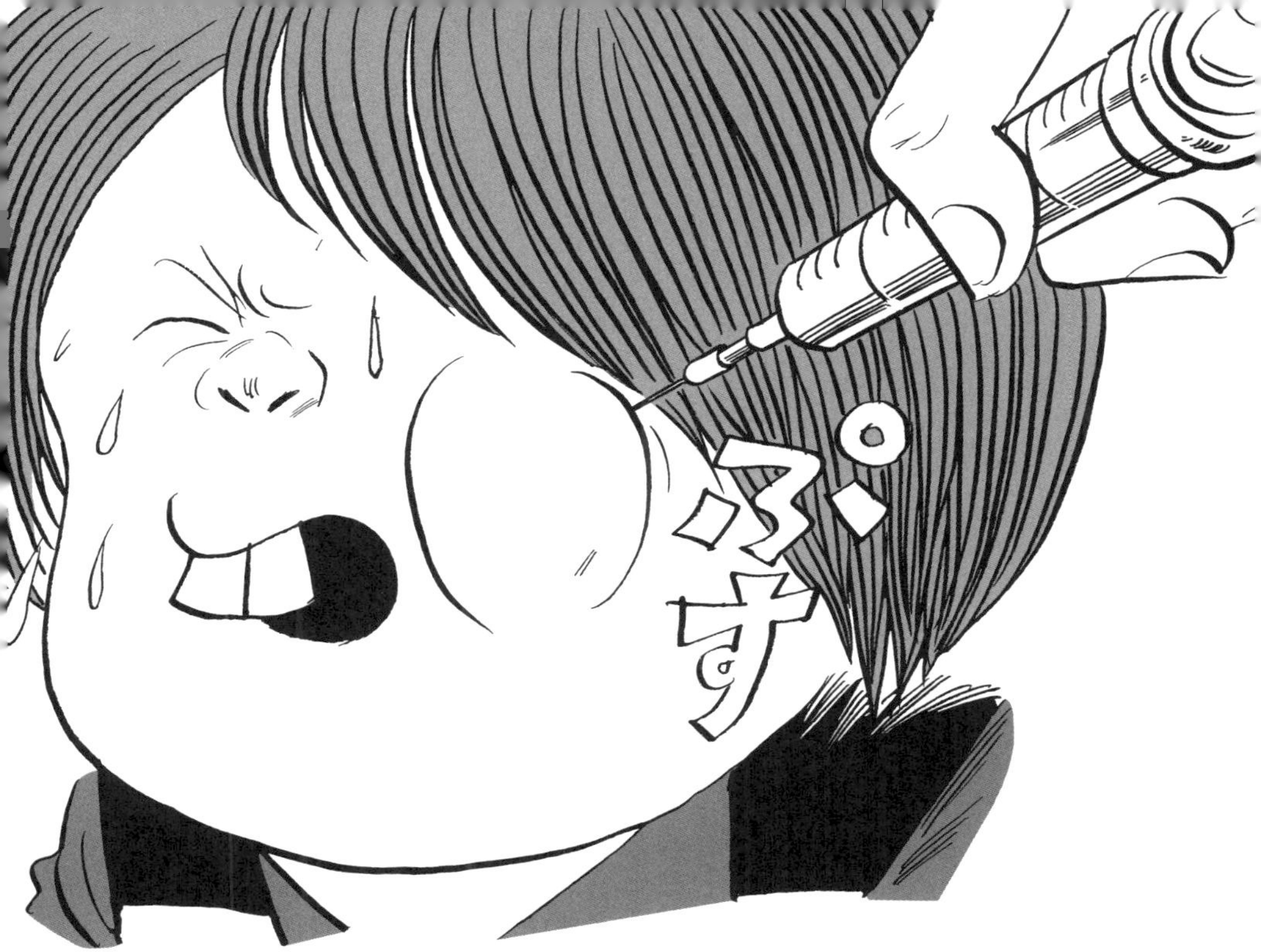

吸血鬼《きゅうけつき》チャランポランは、
おちてきたねずみ男《おとこ》をふみつけて、
うれしそうに二階《かい》にあがっていった。
みがまえる鬼太郎《きたろう》。
つかつかとあゆみよった吸血鬼《きゅうけつき》は、
鬼太郎《きたろう》の頭《あたま》をおさえつけ、
うむを言《い》わさず、ズブリと
ちゅうしゃばりをさしこんだ。
「きさまっ、おれをとかす気《き》か！」
「フフフ、おれのたのしみの
じゃまになるのでね。」
吸血鬼《きゅうけつき》のたかわらいを耳《みみ》のおくで
ききながら、鬼太郎《きたろう》のいしきは

うすれていった。
いっぽう、目玉《めだま》のおとうさんとこがね虫《むし》は
きけんをかくごで、吸血鬼《きゅうけつき》のべっそうに
ちかづいていった。
まどから中《なか》をのぞくと、かいだんの下《した》に
のびているねずみ男《おとこ》が見《み》えた。
「おい、ねずみ男《おとこ》。鬼太郎《きたろう》はどうしたんだ。」
「おお、おやじさん。鬼《き》、鬼太郎《きたろう》は
とかされたぞ――っ。」
「なにっ！　とかされたぁ――!?」
目玉《めだま》のおとうさんは、
ショックで気《き》をうしない、ねずみ男《おとこ》の
手《て》の中《なか》におちていった。

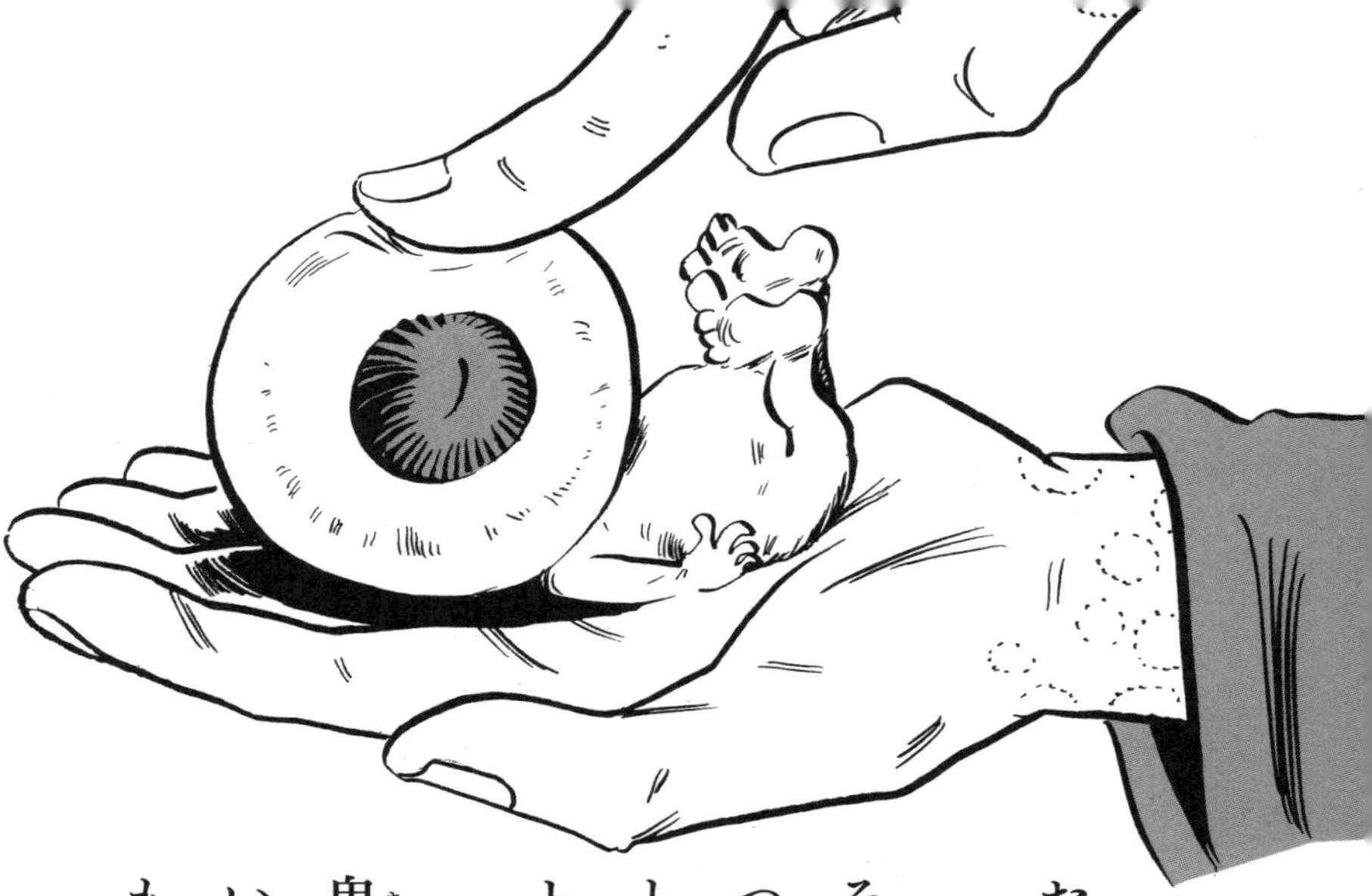

ねずみ男《おとこ》は、あわてて目玉《めだま》のおとうさんをおしたが、ぐったりしてうごかなかった。

「こりゃあ、どうもしんぞうマヒらしいや。それにしても目玉《めだま》のためにはかをつくるわけにもいかないし……。」

と、ねずみ男《おとこ》は、目玉《めだま》をゆびでつまむと、トイレの中《なか》にすてることにした。

「これで鬼太郎《きたろう》一家《いっか》もぜつめつか……。いままで鬼太郎《きたろう》一家《いっか》のせわになって生《い》きてきたものだから、いざぜつめつとなると、なんとなくさびしいもんだなあ……。」

ひとりごとを言《い》いながら、ゆびをはなすと目玉《めだま》のすがたは、トイレのくらがりの中《なか》に消《き》えていった。

……………

「ウーン。」

　ところがよくしたもので、目玉《めだま》のおとうさんは、トイレにすてられたショックで、いしきをとりもどした。

「ウー、くさい。ちょっと気《き》をうしなっただけなのに、トイレにすてるなんて、まったくメチャクチャなやつだ。」

　おとうさんは、鬼太郎《きたろう》をすくうために、けんめいに便器《べんき》をよじのぼった。

「鬼太郎《きたろう》はとけたというから、水《みず》にでもなったんだろう。スポイトでこのつぼの中《なか》に入《い》れて、ほうむってやろうかな。」

ねずみ男《おとこ》はつぼをもって、やねうらべやをおとずれた。

見《み》ると、鬼太郎《きたろう》のおもかげはあとかたもなく、ほねがのこっているだけだった。

「なんとまあ、あわれなもんだねえ、鬼太公《きたこう》も……。」
ねずみ男《おとこ》は、そう言《い》いながら、鬼太郎《きたろう》がとけた水《みず》を
スポイトでつぼに入《い》れた。
「それにしても、しゃれこうべがないというのは
おかしいな。」
どこにも見《み》あたらない
しゃれこうべを気《き》にしながら、
ねずみ男《おとこ》は、つぼを
たなの上《うえ》においで
出《で》ていった。

吸血鬼《きゅうけつき》チャランポランは、ひと仕事《しごと》
おえたつかれから、
気《き》もちよくベッドでやすんでいた。
と、だれかドアをたたくものがいる。
トントントントン。
「ん？　ねずみ男《おとこ》くんかね。
全《ぜん》日《に》本《ほん》吸血《きゅうけつ》プランができたのかね。」
しかし、ノックの音《おと》はいっこうに
やまない。
「うるさいなあ。入《はい》ってきたら
いいじゃないか。」
まだノックの音《おと》はつづいていた。
吸血鬼《きゅうけつき》はドアをあけに、おきあがった。

KYUKETUKI

ドアをあけると、しゃれこうべが一個《こ》おちていた。

「まさか、こいつのしわざじゃあるまい。」

チャランポランは、きつねにつままれたような気分《きぶん》でドアをしめた。

すると、またノックの音《おと》。

「ちっ、うるせえなあ。だれなんだよ。」

吸血鬼《きゅうけつき》は、しゃれこうべを思《おも》いきりけとばした。

しゃれこうべは、てんじょうにあたって、はねかえり、
吸血鬼《きゅうけつき》の顔《かお》にぶちあたった。

「いてっ！」

コン
うわーっ
がぶり
ガッ！

しゃれこうべは、
コロコロところがって
見《み》えなくなってしまった。
吸血鬼《きゅうけつき》はふいうちを
くらって、しりもちを
ついてしまった。

……………

トントン。
またしても、ノック音《おん》。
チャランポランは、
ギョッとしてみがまえた。
やがて、ガチャッと
ドアがあき、入《はい》って

きたのは、こんどこそねずみ男《おとこ》だった。
「先生《せんせい》、ついに日本名士《にほんめいし》吸血《きゅうけつ》プランが
できあがりました。」
「おお、ごくろうさん。」
ねずみ男《おとこ》は、むねをはってこたえた。
「わたしの考《かんが》えによりますと、
金持《かねも》ちのご婦人《ふじん》の血《ち》がいちばん
おいしいと思《おも》いますが。」
「うん。えいようがいきわたって
いるからね。でも、おれがあじわい
たいのは、えらいやつの血《ち》をすう
ときのあのせいふくかんなのだよ。」
そのとき、またノックの音《おと》。

「どなた?」
と、ねずみ男《おとこ》。
「ほっとけ、ほっとけ。」
チャランポランは、
もうこりごりという顔《かお》で言《い》った。
「しゃれこうべだよ。」
「まさか。しゃれこうべがノック
するもんですか。」
ねずみ男《おとこ》がドアをあけると、
やはりしゃれこうべだった。
「おい、そんなものを
もってきてはいかん。」
チャランポランは、

きみわるがって、
すてさせようとした。

「しかし先生《せんせい》。こりゃあ、鬼太郎《きたろう》のしゃれこうべですぜ。」

「なんだと、あいつはとけているはずだ。」

「でも、骨《ほね》のかたちがそっくりですぜ。」

「きみがそんなに非科学的《ひかがくてき》なことを言《い》うならギターをひいてみればわかるよ。鬼太郎《きたろう》ならあの曲《きょく》でおどりだすはずだ。」

吸血鬼《きゅうけつき》はそう言《い》って、ギターをひきだした。

ジャカスカ、ジャンジャン。

やがて、ギターの音色《ねいろ》がクライマックスにたっしたころ……。

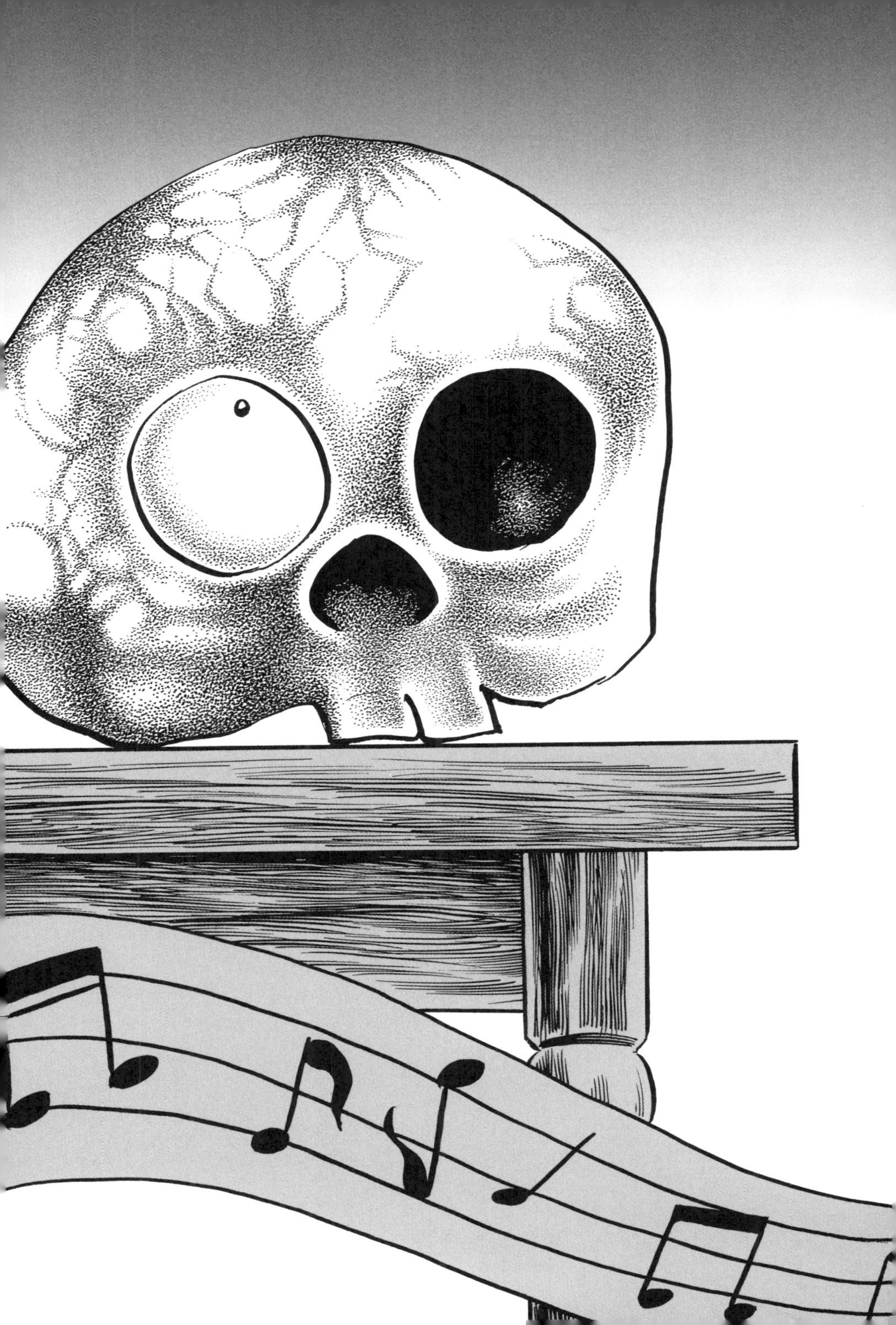

やねうらのたなに
おいてあったつぼが
かいだんをおりてきて、
しゃれこうべとゴーゴーを
おどりだしたではないか。

「おい、ねずみ男《おとこ》くん。
あのつぼには
なにが入《はい》っているんだ。」
吸血鬼《きゅうけつき》がきみわるそうに、
たずねた。
「鬼太郎《きたろう》がとけた水《みず》です。」
「すると、ヤロウ、まだ
生《い》きてるな。」
吸血鬼《きゅうけつき》は、ギターを
かかえると、ねずみ男《おとこ》の
手《て》をひっぱった。
「おい、にげだそう。」

「べっそうのまどというまどを、ぜんぶふさぐんだ。」
「チャランポラン先生《せんせい》、バカにおくびょうですな。」
「バカなことを言《い》うでない。あいつをべっそうに
とじこめるしゅだんなのだ。」
ねずみ男《おとこ》は、まどはもちろん、板《いた》のふし穴《あな》まで
ふさいで、虫《むし》一匹《ぴき》出《で》られないようにした。

吸血鬼《きゅうけつき》はギターをかきならし、
こうもりをあつめた。

「こうもりたちといっしょにいくのだ。」

「すると、先生《せんせい》、いよいよやるんですか。」

「まず、大臣《だいじん》からやる。大臣《だいじん》しゅうげきの作戦《さくせん》は自動車《じどうしゃ》の中《なか》で……。さあいこう。」

そう言《い》うと、吸血鬼《きゅうけつき》はねずみ男《おとこ》を
のせてしゅっぱつした。
うしろから、吸血《きゅうけつ》こうもりの大群《たいぐん》が
編隊《へんたい》をくんで、ごえいしている。
いよいよ吸血鬼《きゅうけつき》は、
吸血《きゅうけつ》プランどおり、日本中《にほんじゅう》の名士《めいし》の
血《ち》をすう作戦《さくせん》にとりかかったのだ。

防衛大臣《ぼうえいだいじん》は夕食《ゆうしょく》をおえて、しょさいで
しんぶんをよんでいた。
そこへ、大臣《だいじん》の秘書《ひしょ》が
やってきて、来客《らいきゃく》をつげた。
「先生《せんせい》、モンガ国《こく》の国王《こくおう》が
いらっしゃいました。」
「モンガ国《こく》？　そんな国《くに》
あったかな……。」
「国王《こくおう》が通訳《つうやく》をしたがえて外《そと》で
まっておられますが。」
「しかたがない。予定《よてい》にないことだが、
五分《ふん》ばかりあおう。
お通《とお》ししなさい。」

しばらくして、白《しろ》い布《ぬの》をまとった
ふたりの男《おとこ》が、おうせつまに入《はい》ってきた。
「パラコケ　アパラチャナ。」
国王《こくおう》はきいたこともないような
ことばを話《はな》した。
通訳《つうやく》のねずみ男《おとこ》が、もったいぶって言《い》った。
「このおかたが、パラガヨス王《おう》です。
いだいなる大臣《だいじん》よと、もうしております。」
「へベレケノモベレケ。」
「神《かみ》のようにちえをもった大臣《だいじん》よと、
もうしています。」

大臣《だいじん》もすっかり
しんようして、
「あ、そうですか。」
と、うなずいた。
そのとき、てんじょう
板《いた》がしずかにずれて、
しゃれこうべが顔《かお》を
のぞかせた。
「カポラキポラ
ナベノソコ。」
「おちかづきのしるしに
聖《せい》なるキスをゆるされた
いともうしておられます。」

と、ねずみ男《おとこ》の名通訳《めいつうやく》。

「聖《せい》なるキス⁉」

おどろく大臣《だいじん》。

「はい。モンガ国《こく》では神《かみ》にささげる聖《せい》なるあいさつでございます。」

「それはこうえいです。日本《にほん》の国民《こくみん》になりかわりまして、おうけいたしましょう。」

大臣《だいじん》はよろこんで、すすみでた。

「パラオレガ　コンコンチキ。」

「大臣《だいじん》。そのまえにかおりたかいバラをどうぞ。」

ねずみ男《おとこ》も、上手《じょうず》なえんぎで大臣《だいじん》をすっかりゆだんさせている。

そして、小《ちい》さな声《こえ》で言《い》った。
「国王《こくおう》、ご採血《さいけつ》をどうぞ。」
それをあいずに、
チャランポランは
大臣《だいじん》のかたに手《て》をまわすと、
首《くび》に歯《は》を立《た》てようとせまった。

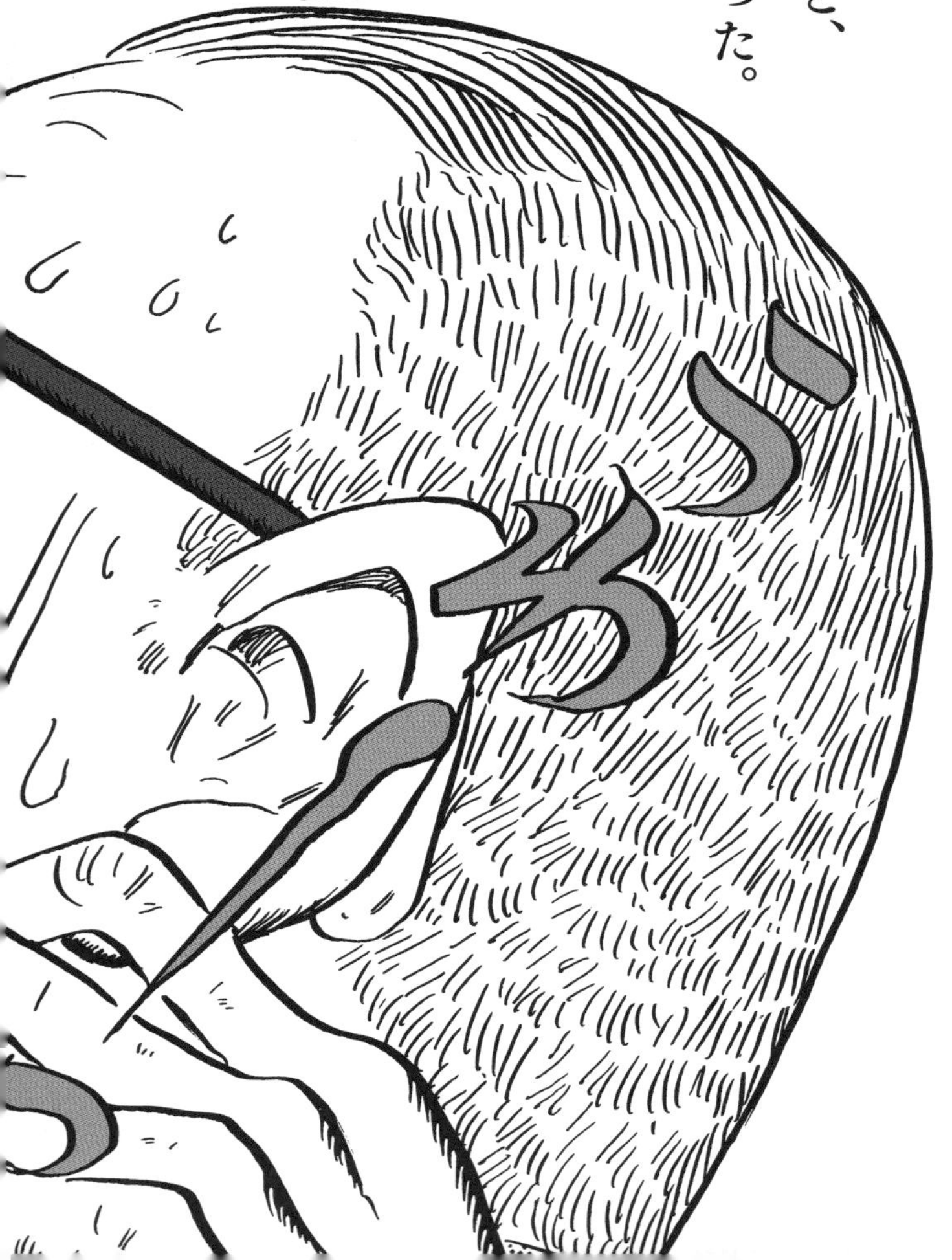

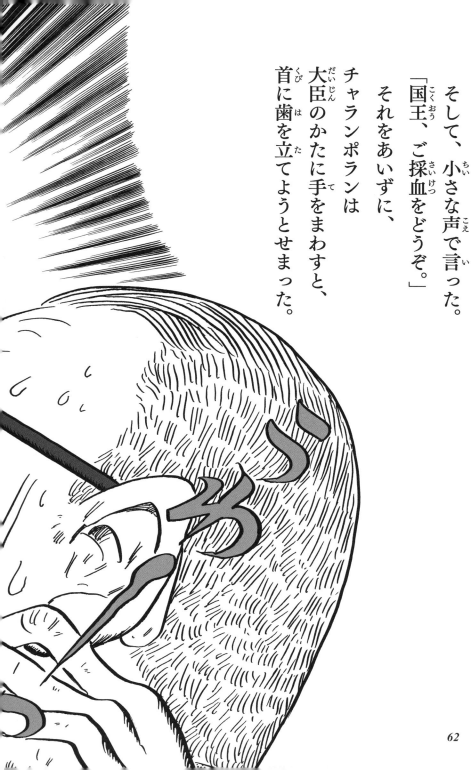

しれーっ

スコーン！

そのとき、吸血鬼《きゅうけつき》の頭《あたま》に石《いし》のようなものがおちてきた。しゃれこうべだ。

しゃれこうべは、かたい吸血鬼《きゅうけつき》の頭《あたま》から、大臣《だいじん》の胸《むね》にあたった。

大臣《だいじん》はおどろいて、胸《むね》をそらせたので、しゃれこうべは、フラフラしている吸血鬼《きゅうけつき》の顔面《がんめん》をちょくげきした。

大臣《だいじん》は吸血鬼《きゅうけつき》がしりもちをついているまに、大声《おおごえ》でさけびながらにげだした。

「吸血鬼《きゅうけつき》だ——！」

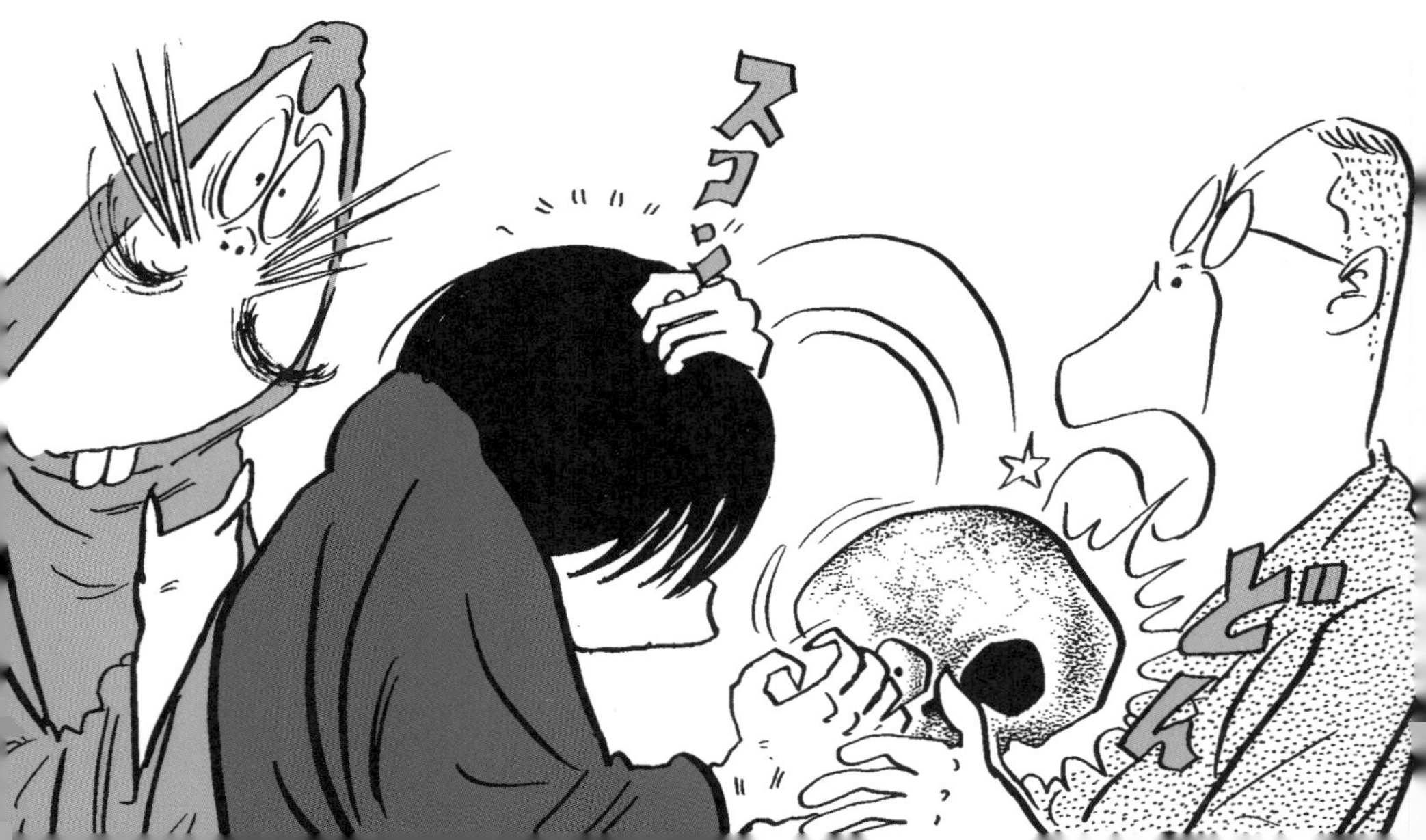

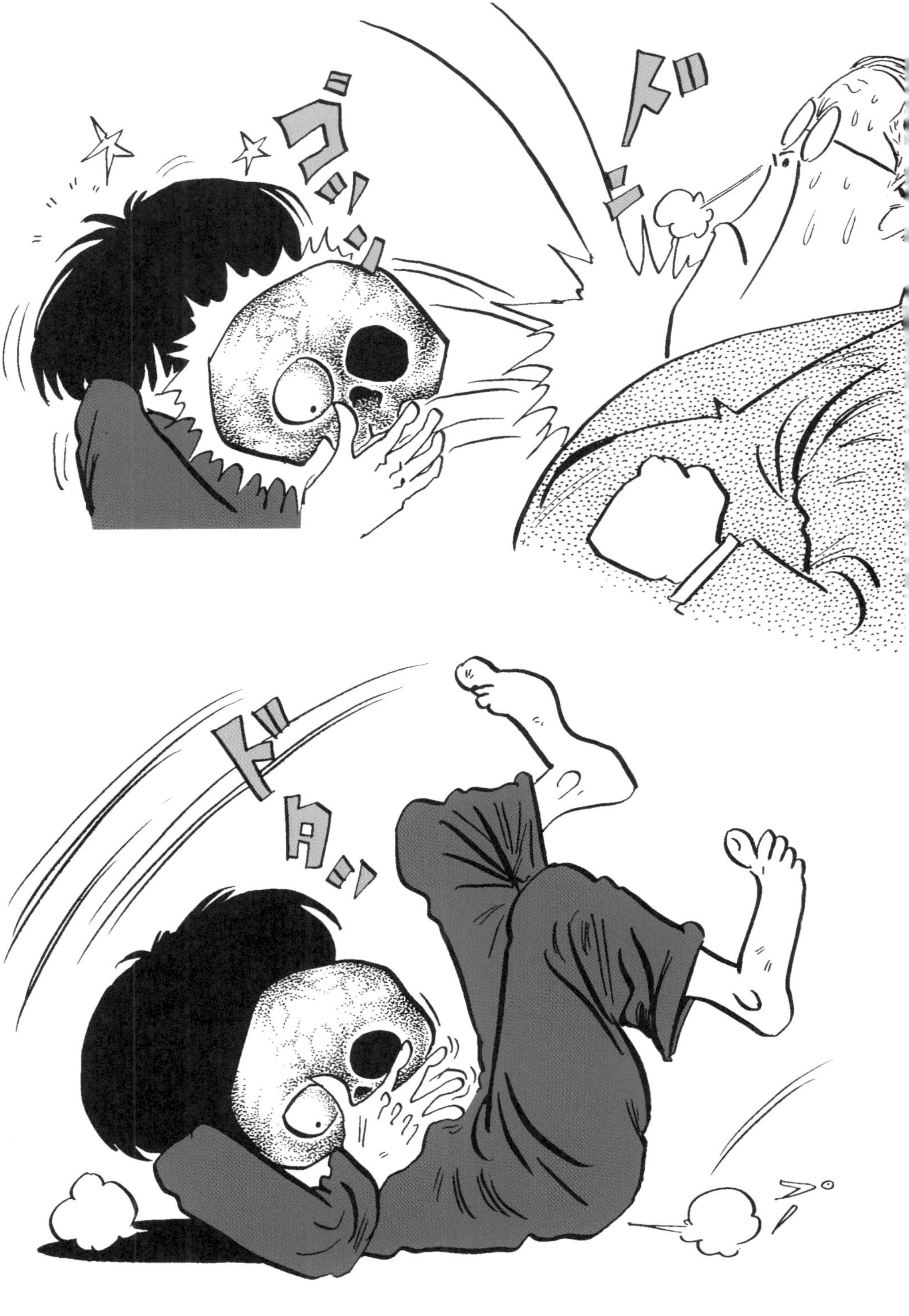
ドン
ゴッ
ドタッ

すぐに、どやどやと、
けいびいんがかけつけてきた。
「国王《こくおう》、にげましょう！」
ねずみ男《おとこ》がさけび、吸血鬼《きゅうけつき》も、
「ちきしょう。もうちょっと
だったのに！」
と、まどからにげだした。
しかし、ひじょうけいかいの
サイレンがなりひびき、
ねずみ男《おとこ》たちは、
にげるににげられない。

吸血鬼《きゅうけつき》は大《おお》いそぎで、
ギターをかきならした。
すると、こうもりの群《む》れが
やってきて、ふたりを空《そら》に
ひきあげた。
「いそげ！」
こうもりにまもられて、
ふたりはべっそうまで
かえっていった。

ぶじにべっそうについたものの、吸血鬼《きゅうけつき》はひどくきげんがわるかった。

「ねずみ男《おとこ》くん。」

「なんでしょう、先生《せんせい》。」

「あのしゃれこうべが、みっぺいしたこの家《いえ》から、ひとりで出《で》られると思《おも》うかね。」

「どんなもんですかねえ……。」

ねずみ男《おとこ》がめずらしくしんけんに考《かんが》えていると、とつぜん吸血鬼《きゅうけつき》がおそろしい顔《かお》つきで言《い》った。

「しゃれこうべをべっそうから出《だ》したのは、きみのしわざだろう。」

「と、とんでもない。それはあの超能力《ちょうのうりょく》をもったしゃれこうべがひとりでやったことで……。」

「とぼけるな！　どっちについてもうまくゆくようにするのが、きみのやりかただろう。おれがその手《て》にのると思《おも》うのか！」

　そう言《い》うがはやいか、吸血鬼《きゅうけつき》はねずみ男《おとこ》をべっそうの横《よこ》のふかいあなにつきおとした。

「このあなから出《で》られたものはいないのだ。そこでミイラになるがいい。ハハハ……。」

あなの上《うえ》から、吸血鬼《きゅうけつき》の無情《むじょう》のことばがひびいてきた。

「ちきしょう。こんなすなぐらいのぼってみせるぜ。」

ねずみ男《おとこ》はやっきになってのぼろうとするが、すながズルズルおちてのぼれない。

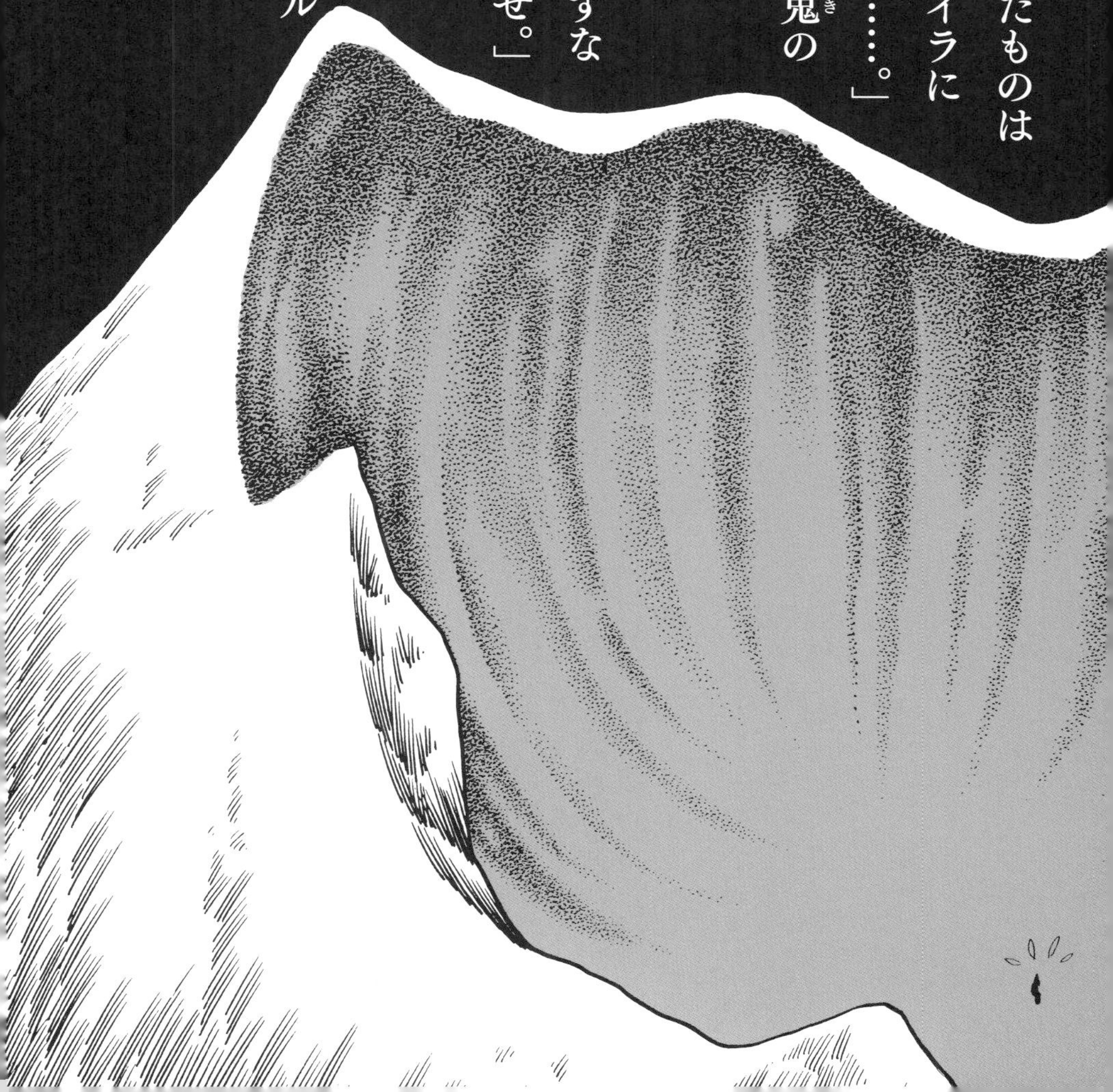

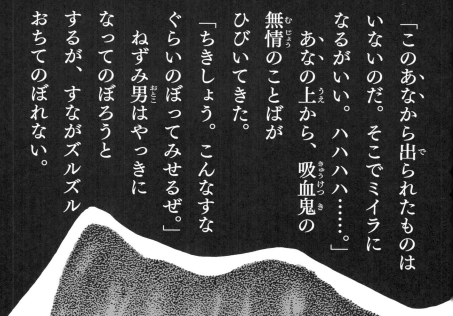

吸血鬼《きゅうけつき》はねずみ男《おとこ》をしょぶんして
べっそうに入《はい》ったものの、
なんとなくおちつかない。
「ウーム。鬼太郎《きたろう》のいきのねを
とめないことにはねむれやしない……。
ようし、音楽《おんがく》さいみんじゅつでひきよせて、
すなじごくにおとしてしまおう。」
チャランポランは、とってもいいことを
思《おも》いついた、というふうにほくそえんで、
ギターをとりにいった。

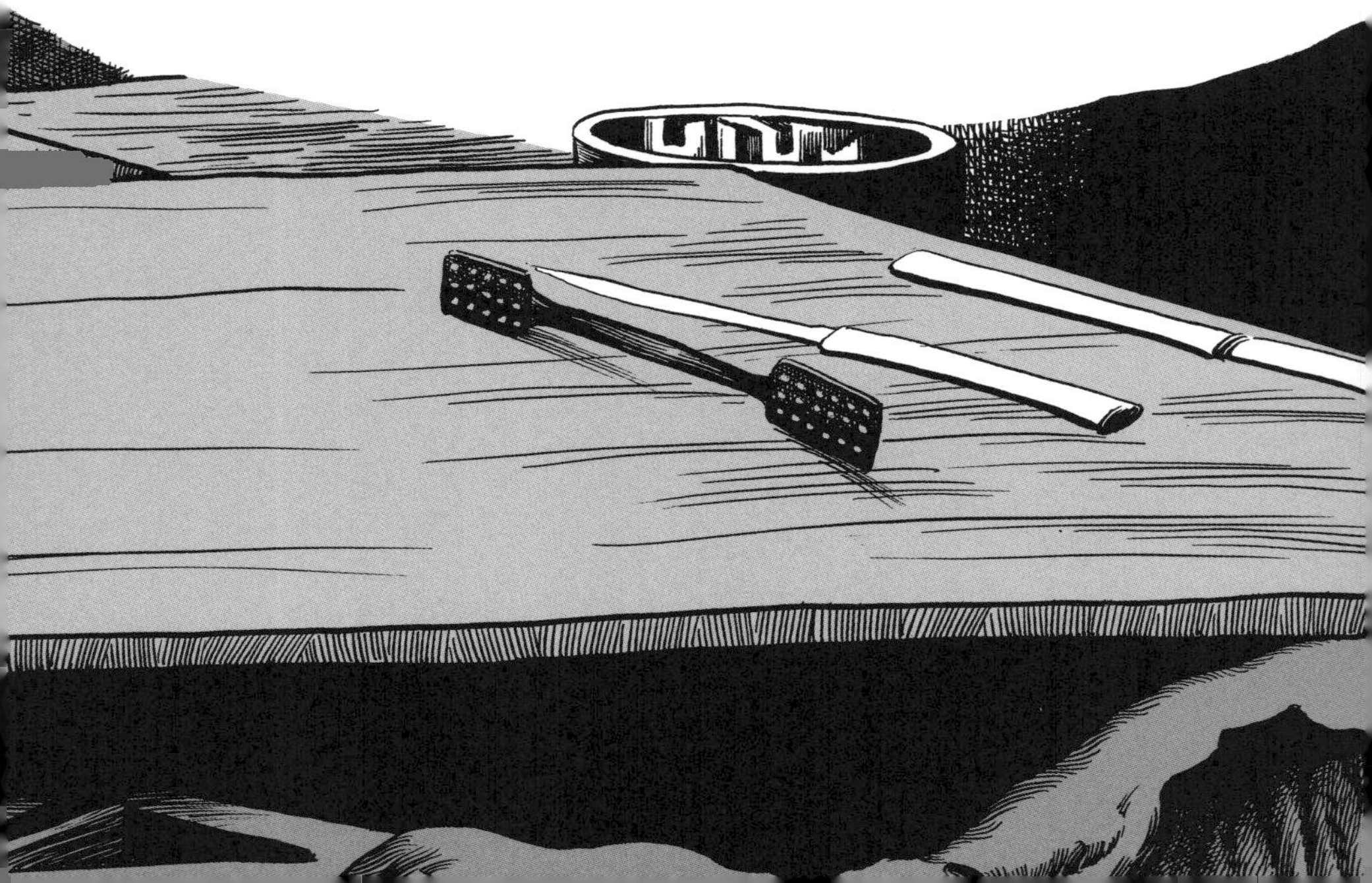

ドアをあけてギターをひくと、吸血鬼《きゅうけつき》のようどおり、どこからか、しゃれこうべがおどり出《で》てきた。

そして、ギターをやめると、しゃれこうべもおどりをやめるのだった。

なんというおそろしい音楽《おんがく》さいみんじゅつだろうか。

「これから、大臣《だいじん》の吸血《きゅうけつ》にしっぱいしたお礼《れい》をしてやるからな。」

と、ひとりごとを言《い》いながら、はげしくギターをかなではじめた。

すると、家《いえ》の中《なか》から鬼太郎《きたろう》の液体《えきたい》を入《い》れたつぼが、おどりながら出《で》てきた。

吸血鬼《きゅうけつき》はしゃれこうべとつぼを
おどらせながら、ねずみ男《おとこ》をおとした
あなまでつれていった。

そして、
「おまえたちに、
えいえんの
いこいの場所《ばしょ》を
あたえてやろう。」
と、足《あし》で
けっとばした。

ずるずるずる

ところが、しゃれこうべの中《なか》に入《はい》っていた目玉《めだま》のおとうさんが、とびだしてきた。

「あーっ。」

おどろいたひょうしに、吸血鬼《きゅうけつき》は足《あし》をすべらせ、すなじごくのあなに、まっさかさまにおちてしまった。

これには、下《した》でねていたねずみ男《おとこ》がびっくりぎょうてん。

はじめにつぼが一個《こ》、つぎにしゃれこうべが一個《こ》、そしてさいごに大《おお》きな人間《にんげん》がひとり……。

「うわーっ。これはどうしたことだ。チャランポランじゃないか。」

吸血鬼《きゅうけつき》はおちたひょうしに、地中《ちちゅう》にめりこんでしまった。

「それにしても、吸血鬼《きゅうけつき》もおれも同《おな》じうんめいになってしまった。おこして、こんごのうんめいについて相談《そうだん》するとしよう。」

ねずみ男《おとこ》は吸血鬼《きゅうけつき》の足《あし》のうらをくすぐりだした。

吸血鬼《きゅうけつき》は気《き》がつくと、ねずみ男《おとこ》に
かんしゃするどころか、ねずみ男《おとこ》を
おしたおし、ぜつぼうてきに言《い》った。
「おまえもしってのとおり、ここへ
おちたら死《し》ぬしかないのだ。」
「先生《せんせい》、こうなりゃあ、すんだことは
水《みず》にながして……。」
「ばかもの。わしには
おまえというおいしい
食《た》べものだってあるんだ。
さっそく血《ち》をすわせて
もらおうか。」
「助《たす》けて——っ。」

そのころ、あなの上《うえ》では目玉《めだま》のおとうさんが、
ねずみ男《おとこ》のさけび声《ごえ》をきいていた。

「あっ、あれはねずみ男《おとこ》のさいごの声《こえ》だ。
とうとうねずみ男《おとこ》まで吸血鬼《きゅうけつき》のえじきになるのか……。」

こがね虫《むし》もしんぱいで、じっとしていられない。

「いっときもはやく、すなじごくから
鬼太郎《きたろう》を助《たす》けださなければ……。」

そう言《い》うと、こがね虫《むし》ははねをひろげて、
すなじごくにおりていった。

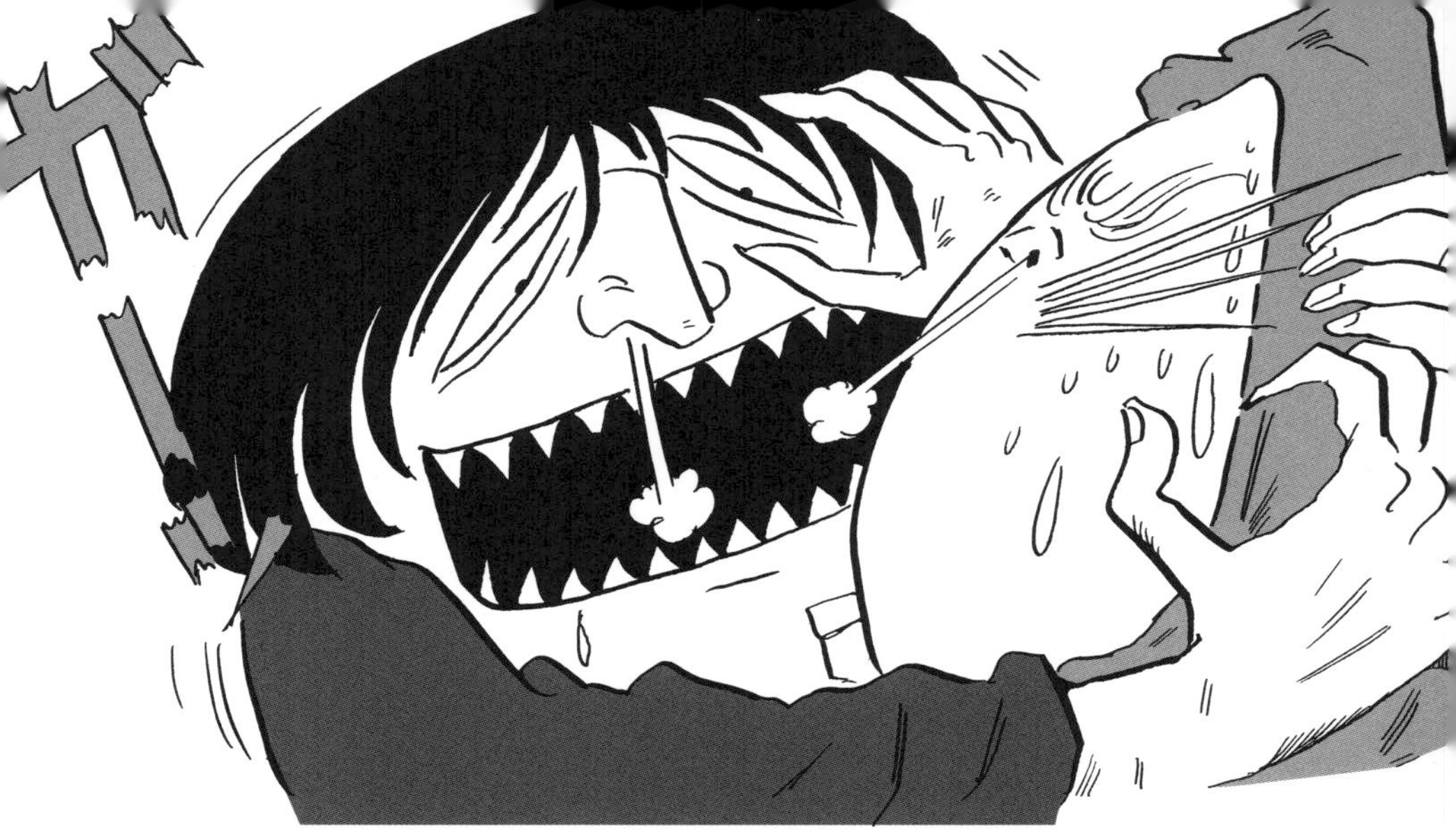

ねずみ男《おとこ》は、
しにものぐるいで、
吸血鬼《きゅうけつき》とたたかっていた。
そこへとんできた
こがね虫《むし》、
吸血鬼《きゅうけつき》の顔《かお》に
ペタ。

「いまだっ。」
ねずみ男《おとこ》
とくいのビンタが
吸血鬼《きゅうけつき》のほほに
い、い、いさくれつした。
きょうれつな
パンチにたおれる
吸血鬼《きゅうけつき》。

吸血鬼《きゅうけつき》は、ねずみ男《おとこ》もなかなか手強《てごわ》いと思《おも》い、ほうしんをかえることにした。

「ねずみ男《おとこ》くん、このせまいすなじごくで、じたばたしてもはじまらないよ。どうだいなかよくしようじゃないか。」

「ふん。あんたがその気《き》なら、おれだってもともと平和主義者《へいわしゅぎしゃ》なんだ。」

ビンタのいりょくにじしんをつけたねずみ男《おとこ》は、きどってこたえた。

チャランポランは、どうやって助《たす》かろうかと、思《おも》いをめぐらせた。

ギターもないので、もはやこうもりもよべない。

「べっそうの戸《と》だなになわばしごがあるんだけど、ここじゃあ、どうにもならねえや。」

ふたりは、うでぐみをしてしまった。

チャンス！　この話《はなし》をきいたこがね虫《むし》は、目玉《めだま》のおとうさんにほうこくにいった。

「それは耳《みみ》よりな話《はなし》だ。鬼太郎《きたろう》を助《たす》けなければ、われわれの種族《しゅぞく》はぜつめつしてしまう。」

「そいつあ、たいへんだ。ここからなわばしごをなげて、ねずみ男《おとこ》を助《たす》けましょう。」

こがね虫《むし》も、必死《ひっし》だった。

「それにしても、吸血鬼《きゅうけつき》もいっしょに助《たす》かったんではなんにもならない。しかたがない。吸血鬼《きゅうけつき》がねるまでまとう。」

夜中《よなか》の三時《じ》ごろ、やっと吸血鬼《きゅうけつき》はねむりについた。

そしてねずみ男《おとこ》もまたグーグー。

目玉《めだま》のおとうさんは、ねずみ男《おとこ》の顔《かお》にふろしきをなげて、おこそうとした。

しかし、じゅくすいしているねずみ男《おとこ》には、おきる気《け》はいなど、まったくなかった。
こんどは、なわばしごを
なげてみた。
それでもグーグー。
しかたがないので目玉《めだま》は
こがね虫《むし》にのって、あなの
そこにおり、ねずみ男《おとこ》の
鼻《はな》の穴《あな》をくすぐった。
「はっくしょーん。」
ねずみ男《おとこ》は、自分《じぶん》の
くしゃみにおどろいて、
やっと目《め》をさました。

「おっ、おやじさん。どうしたんだい、
こんなところで。」
ねずみ男《おとこ》はあくまでものんきだった。
「話《はなし》はあとだ。鬼《き》太郎《たろう》のしゃれこうべとつぼを
ふろしきにつつんで、なわばしごであがってくれ！」
「がってん！」
ところが、つぼが
みあたらない。
なんと、吸血鬼《きゅうけつき》が、
つぼをまくらにして
ねているのだった。
「くそ、ここで目《め》をさまされたら百年《ねん》目《め》だ。」
ねずみ男《おとこ》はじだんだをふんでくやしがった。

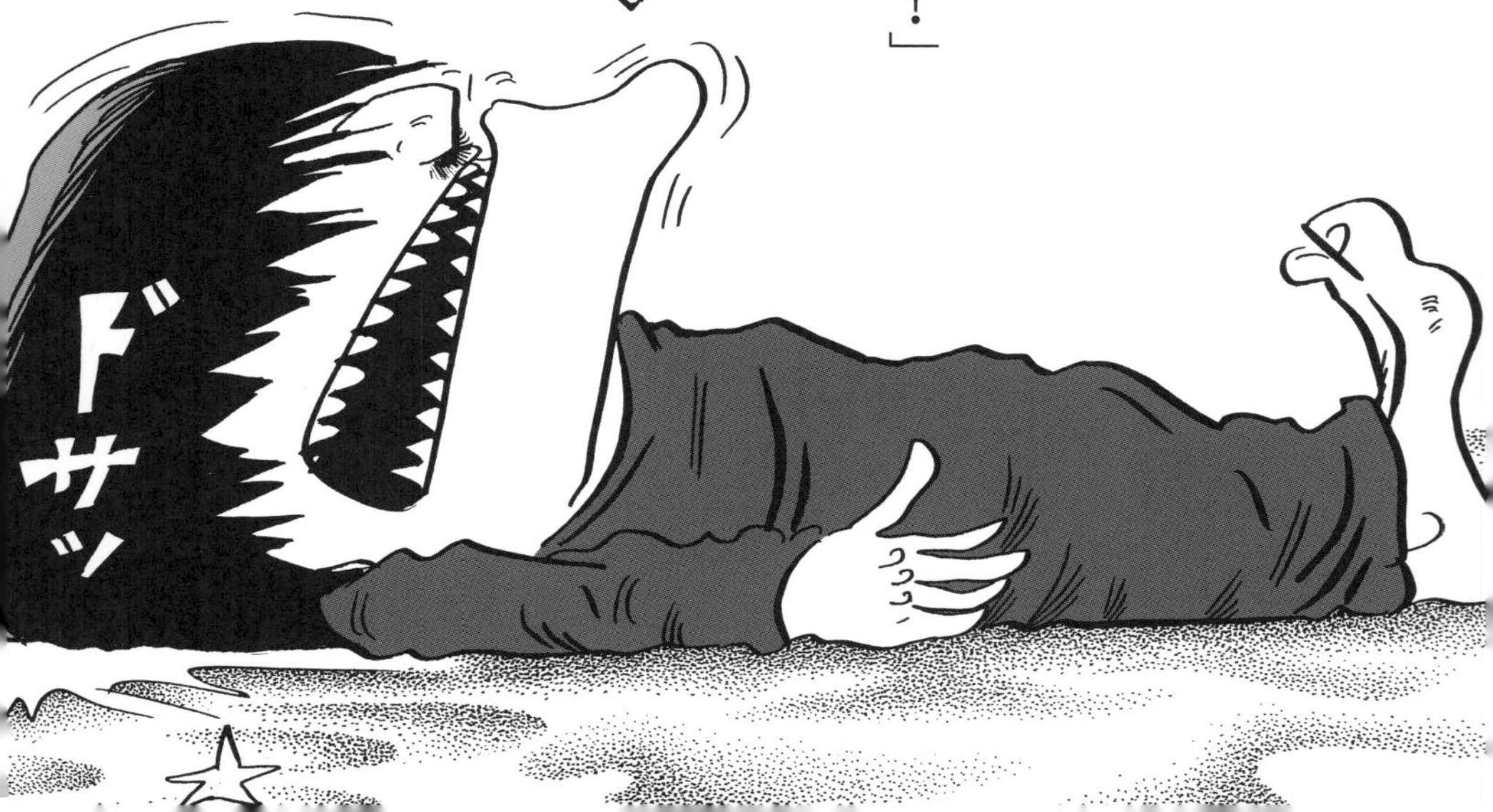

「ねずみ男《おとこ》、すばやく
ぬきとって、あいてが
ねぼけているすきに
にげるのだ！」
「よしきた！」
ねずみ男《おとこ》は、つぼに
手《て》をやると、さっと
ぬきとった。

ねずみ男《おとこ》はいちもくさんに
なわばしごをかけのぼって
いった。
ちょうど半分《はんぶん》までのぼったころ、
下《した》からブツブツ言《い》う声《こえ》が
きこえてくる。

みると、吸血鬼《きゅうけつき》が
あと三メートルにせまって
いるではないか。
「おい、きみ。ふたりが
のぼっては家《いえ》がおちる。
きみはおれがあがってからに
しろ！」
吸血鬼《きゅうけつき》は勝手《かって》なことを
言《い》っている。

千年《ねん》もたったべっそうは、もうあちこちがガタピシしている。
なわばしごにふたりがのったために、そのおもみで、

べっそうはゆらゆらゆれていた。

「死《し》んでもはなすものか。」

ねずみ男《おとこ》は、死《し》にものぐるいでのぼっていくが、
つぼがおもくてスピードが出《で》ない。

みがるな吸血鬼《きゅうけつき》との差《さ》は、どんどんちぢまってくる。

「つべこべぬかすと、しりから血《ち》をすうぞーっ。」

血《ち》をすわれてはかなわない。さいごのしゅだん、
いたちのさいごっぺならぬ、ねずみ男《おとこ》の大《おお》オナラ。

「ブォーッ!!」

きょうれつな悪臭《あくしゅう》が、吸血鬼《きゅうけつき》の鼻《はな》の穴《あな》にむけてはなたれた。

ねずみ男《おとこ》のふけつなガスを腹《はら》いっぱいすいこんだ吸血鬼《きゅうけつき》は、
めまいをおこし、ならくの底《そこ》へまっさかさま。

ぶじにべっそうにたどりついたねずみ男《おとこ》たちは、大《おお》いそぎで、てんじょううらにあがり、鬼太郎《きたろう》のほねをふろしきにつつんでいた。
　すると、いつのまにか入口《いりぐち》にチャランポランが立《た》っているではないか。ねずみ男《おとこ》たちは、にげるのにいそぐあまり、なわばしごをひきあげるのをわすれていたのだった。
「うわっはははは。ねずみ男《おとこ》くん、きみがまどをくぎづけにしてくれたおかげで、出口《でぐち》はここひとつしかないぜ。ふくろのねずみとはこのことだろうよ。」

そう言《い》うと、吸血鬼《きゅうけつき》はギターをかなではじめた。

「かわいいこうもりたちに血《ち》をすわせてやろう。ヒヒヒヒ……。」

どこからやってきたのか、べっそうの中《なか》は何《なん》千匹《びき》という吸血《きゅうけつ》こうもりでいっぱいになった。

ねずみ男《おとこ》たちは、おいつめられて、おくのおしいれの中《なか》ににげこんだ。チャランポランはこうもりを入《い》れると、入口《いりぐち》のかぎをかけてしまった。

「このままでは助《たす》からない。カベに穴《あな》をあけてにげよう。」

ねずみ男《おとこ》は、カベに穴《あな》をあけた。

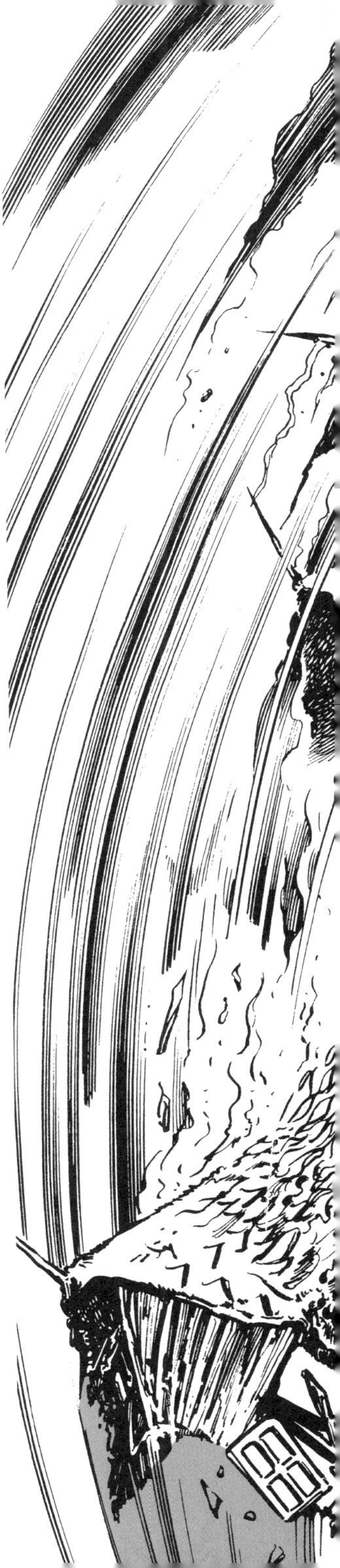

ぜんいん、カベ穴《あな》からそとに出《で》ると、目玉《めだま》のおとうさんがさけんだ。

「はやく、火《ひ》をつけるんだ!!」

ねずみ男《おとこ》は、家《いえ》のあちこちに火《ひ》をつけた。

はじめくすぶっていたべっそうは、やがてバリバリとはげしい音《おと》をたててもえはじめた。

おどろいたチャランポランは、かわいいこうもりたちを助《たす》けだそうと、べっそうの中《なか》へとびこんでいった。

まっかなほのおにつつまれたべっそうは、吸血鬼《きゅうけつき》とこうもりたちをのみこんだまま、ゴーッという音《おと》とともにすなじごくへと消《き》えていった。

うわーっ

やけあとには、
チャランポランの
すがたはなく、
きょだいな
こうもりの死《し》がい
がのこっていた。
千年《ねん》も生《い》きた吸血《きゅうけつ》
こうもりが、人間《にんげん》に
すがたをかえて血《ち》を
すっていたのだ。

「日本《にほん》に吸血鬼《きゅうけつき》がいるなんておかしいと思《おも》ったら、吸血《きゅうけつ》こうもりのふるいのがばけていたんだねえ。」

「まあ、たいじできてよかった。」

目玉《めだま》のおとうさんとねずみ男《おとこ》は、バラバラにされた鬼太郎《きたろう》を背《せ》に、妖怪病院《ようかいびょういん》にむかっていた。

妖怪病院《ようかいびょういん》は、ひるまでもぶきみな恐山《おそれざん》にあるのだ。

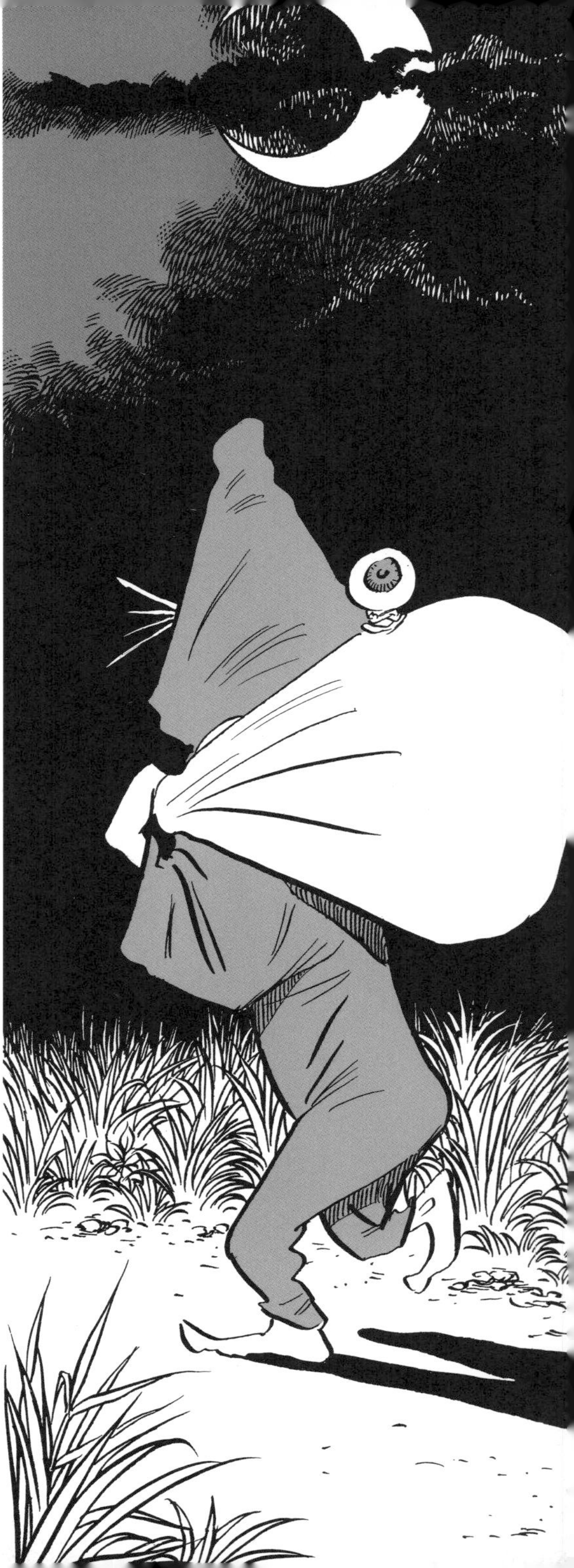

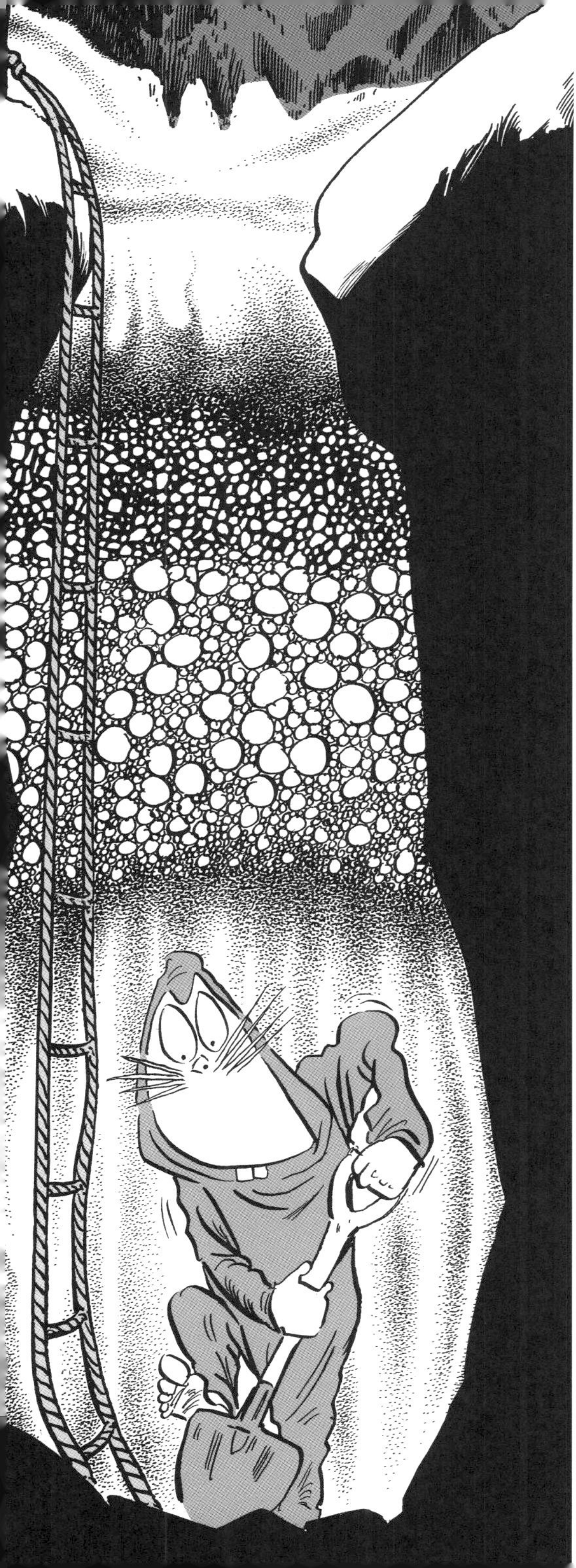

ときどき、名《な》もしれない鳥《とり》が、クオークオーと、ないている。

「たぶん、このあたりだろう。」

ねずみ男《おとこ》は、恐山《おそれざん》ふかくの地面《じめん》に穴《あな》をほりはじめた。

「なにしろ二百年《ねん》ぶりだから、入口《いりぐち》がはっきりわからねえや。
でも、霊《れい》のにおいがしてるから、まちがいないだろう。」

ねずみ男《おとこ》は、地下《ちか》へ地下《ちか》へとほりすすんだ。

「土中恐山《どちゅうおそれざん》」というのは、病気《びょうき》になった妖怪《ようかい》たちが出入《でい》りする病院《びょういん》のようなところなのだ。

一万年《ねん》くらい前《まえ》までは、山《やま》の上《うえ》に入口《いりぐち》があったらしいが、長《なが》い年月《ねんげつ》のうちにじばんがさがってしまい、いまでは土《つち》の中《なか》にある。

しかし、それがかえってさいわいして、土中《どちゅう》にこんなところがあるとは、だれもしらない。

ねずみ男《おとこ》は、大《おお》きな石《いし》につきあたると、その石《いし》をあけて、中《なか》に入《はい》りこんだ。
中《なか》には、石《いし》のろうかやかいだんがついている。
かいだんをおりていくと、池《いけ》に出《で》た。

夜《よる》のやみのように、まっくらな池《いけ》だ。
池《いけ》にむかって、二度手《どて》をたたくと、頭《あたま》に
おさらをかぶったカッパのようなものが、
かおを出《だ》した。
「おい。おまえが、生命《せいめい》せっちゃく
がかりかい?」
ねずみ男《おとこ》が、うたがいぶかげにきいた。
「そうです。」
カッパのようなものは、かんだかい声《こえ》で
こたえた。
「じつは、鬼太郎《きたろう》がとけたんだが。」
「あっ、鬼太郎《きたろう》さんなら二、三日《にち》で全快《ぜんかい》
されるでしょう。」

……………………

四、五日《にち》して、ねずみ男《おとこ》は全快《ぜんかい》した鬼太郎《きたろう》をつれて、防衛大臣《ぼうえいだいじん》の家《いえ》をおとずれた。

ねずみ男《おとこ》は、吸血鬼《きゅうけつき》たいじのほうしゅうとして、金《かね》をせびろうとしたのだ。

ところが、大臣《だいじん》はいがいにがめつかった。

「あなたがた妖怪《ようかい》に、日本《にほん》のこくせきをあたえ、人間《にんげん》としてみとめようと思《おも》います。」

と言《い》う。

「ふざけるな！」

ねずみ男《おとこ》は、いかりくるった。

「人間《にんげん》より、妖怪《ようかい》のほうがすぐれているんだ。なにをいまさら……！」

いまにも大臣《だいじん》に
とびかかろうと
するねずみ男《おとこ》を、
鬼太郎《きたろう》がとめた。

「ねずみ男《おとこ》、おまえだって、
はじめは吸血鬼《きゅうけつき》のみかただったんだ。
もう、やめろ。」
大臣《だいじん》は、こんどは金《かね》のかわりに、
くんしょうをやろうと言《い》いだした。
しかし、鬼太郎《きたろう》は、
「くんしょうなんかよりも、
一ぱいのコーヒーで
けっこうですよ。」
と、また無一文《むいちもん》の生活《せいかつ》に
もどっていった。
そんな鬼太郎《きたろう》を、
虫《むし》たちはたたえるのだった。

水木しげる

1922年、鳥取県境港市出身。同市の高等小学校を出て大阪にゆき、いろいろな職業につきながら、いろいろな学校を出たり入ったりする。戦争で左腕を失う。著書には『ゲゲゲの鬼太郎』『悪魔くん』『河童の三平』『日本妖怪大全』などがある。

※本書は、1981年にポプラ社より刊行された『水木しげるのおばけ学校⑤　吸血鬼チャランポラン』を再編集したものです。再編集にあたって、一部、現代の社会通念や人権意識からは不適切と思われる表現を修正しております。

吸血鬼チャランポラン

新装版　水木しげるのおばけ学校⑤

2024年9月　第1刷

著　者　水木しげる
発行者　加藤裕樹
発行所　株式会社 ポプラ社
〒141-8210 東京都品川区西五反田3-5-8
JR目黒MARCビル12階
ホームページ　www.poplar.co.jp
印刷・製本　中央精版印刷株式会社
デザイン　野条友史（buku）
ロゴデザイン協力　BALCOLONY.

N.D.C.913 ／ 111P ／ 22cm ISBN 978-4-591-18270-3
P4184005